VERDADERO o FALSO

de

SCHOLASTIC

MASCOTAS

MELVIN Y GILDA BERGER

SCHOLASTIC INC.

NEW YORK TORONTO LONDON AUCKLAND SYDNEY MEXICO CITY NEW DELHI HONG KONG

Originally published in English as *Scholastic True or False: Pets*
Translated by Carmen Navarro

ISBN 978-0-545-15952-4

12 11 10 9 8 7 6 5   23 24/0

Printed in the U.S.A.   40
First Spanish printing, September 2010
Book design by Nancy Sabato

Los perros fueron las primeras mascotas.

¿VERDADERO o FALSO?

¡VERDADERO!

Los perros fueron los primeros animales en ser domesticados.

Hace miles de años, los humanos empezaron a criar y a cuidar cachorros de lobo. Esos lobos cambiaron y se convirtieron en los primeros perros. Los humanos los pusieron a trabajar. Algunos usaban perros para cuidar ovejas. Otros los entrenaban como ayudantes de cacería o para cuidar sus casas, y muchos simplemente los tenían como mascotas.

Los perros de hoy se parecen a los lobos en muchas cosas.

Los perros siempre tienen la nariz mojada.

¿VERDADERO o FALSO?

¡FALSO!

Los perros no siempre tienen la nariz mojada.

La nariz de algunos perros saludables es caliente y seca. La mayor parte del tiempo, los perros se lamen la nariz para humedecerla. Pero ya sea que tengan la nariz mojada o seca, los perros tienen un olfato asombroso. Eso se debe a que la nariz de los perros tiene más de 200 millones de células olfativas, mientras que la mayoría de los seres humanos solo tiene 5 millones de células olfativas.

Los perros pueden sentir olores que tú ni siquiera notas.

Algunos perros tienen dos capas de piel.

¿VERDADERO o FALSO?

¡VERDADERO!

Algunos perros tienen dos capas: una exterior y otra interior. Los perrros que viven en climas fríos tienen dos capas de piel. La capa exterior es como un poncho. Los protege del hielo y de la nieve. La mayoría de los perros tiene una capa delgada y liviana durante el verano y una capa más gruesa en el invierno. La capa de invierno se les cae en la primavera; en el otoño, les crece otra capa.

La temperatura del cuerpo de los perros es unos 5 grados más elevada que la tuya.

Los sabuesos solo pueden rastrear el olor de la sangre.

¿VERDADERO o FALSO?

¡FALSO! Los sabuesos pueden rastrear muchos olores diferentes.

Tienen un olfato excepcional. Caminan o corren al lado de su amo con el hocico cerca del suelo. Su nariz puntiaguda capta todos los olores que la gente o los animales dejan al pasar. Sus orejas largas y caídas les ayudan a llevar los olores del suelo a su nariz. Un sabueso bien entrenado puede seguir un rastro dejado dos o tres días atrás.

Su nombre en inglés es *bloodhound*, derivado de *blooded hound*, que significa sabueso de pura sangre.

Los perros y los gatos son enemigos naturales.

¿VERDADERO o FALSO?

¡FALSO! Los perros y los gatos pueden ser grandes amigos.

El miedo que sienten los gatos de los perros se debe a que estos los persiguieron durante muchas generaciones. Muchos gatos arquean el lomo y sisean cuando se encuentran con un perro extraño. Los perros suelen gruñir y ladrar a los gatos que no conocen, pero por lo general, los perros y los gatos se llevan muy bien. Algunas gatas han amamantado a cachorros que no tenían mamá, y se sabe que algunos perros han lavado a gatos recién nacidos.

Los gatos también pueden aprender a convivir con conejos y pájaros que son mascotas.

Los gatos pueden ver en la oscuridad.

¿VERDADERO O FALSO?

¡FALSO! Los ojos de los gatos son asombrosos, pero no pueden ver en la oscuridad total.

Necesitan un poco de luz para ver. Cuando hay poca luz, sus pupilas se agrandan y eso permite que les entre mucha luz. La luz débil choca contra la parte de atrás del ojo. Esta parte actúa como un espejo y refleja la luz para que sea más fuerte. También hace que los ojos del gato brillen en la oscuridad cuando los rayos de luz chocan contra ellos.

Cuando hay poca luz, un gato ve unas seis veces mejor que tú.

A los gatos caseros no les gusta bañarse.

¿VERDADERO o FALSO?

¡VERDADERO!

Casi todos los gatos detestan que los metan en el agua.

A muchos gatos no les importa mojarse, pero deben ser ellos los que deciden cuándo se van bañar. Que los alcen y los metan en una bañera hiere sus sentimientos. Pero incluso los gatos que detestan bañarse son muy limpios. Se lamen una pata y la refriegan contra su cara para lavarla, y limpian su cuerpo lamiéndose la piel.

Los gatos saben nadar, aunque a la mayoría no le guste mojarse.

Los gatos arañan los postes solamente para afilar sus uñas.

¿VERDADERO o FALSO?

¡FALSO! Los gatos tienen otras razones para arañar.

Arañar postes los ayuda a abrir sus garras y sacar la suciedad que pueda haber allí. Arañar también los ayuda a estirar el cuerpo y a ejercitar los músculos de las patas. Y al arañar dejan su olor en los postes, marcándolos como su propiedad. Y claro, también se afilan las uñas.

Los gatos tienen cuatro uñas en cada una de las patas traseras y cinco uñas en cada una de las patas delanteras.

Los gatos pueden comer comida para perros.

¿VERDADERO O FALSO?

¡FALSO! Los gatos solo deben comer comida para gatos.

La comida para perros no es buena para los gatos porque tiene muy pocas proteínas. Los gatos necesitan cinco veces más proteínas que los perros. Los gatos deben comer comida rica en proteínas, especialmente carne de res, pollo, hígado, corazón, riñones y pescado. Las dietas ricas en proteínas los ayudan a crecer fuertes y saludables. A los gatos se les debe dar leche solo ocasionalmente.

Si un gato come mucha comida para perros, se puede quedar ciego.

Un gato agazapado
está listo
para atacar.

¿VERDADERO
O
FALSO?

¡VERDADERO!

Un gato agazapado avisa que va a atacar.

El lenguaje corporal de los gatos te puede decir mucho sobre su estado de ánimo. Un gato que se arrastra por el suelo puede estar diciendo "Voy a saltar". Un gato que se restriega contra tu pierna quizás te quiere decir "Te quiero". Una cola bien levantada siempre quiere decir "¡Qué alegría verte!"

Un lomo arqueado generalmente significa "Déjame en paz".

A los pericos les gusta vivir solos.

¿VERDADERO o FALSO?

¡FALSO! A los pericos les gusta tener compañía.

Los pericos son loros de tamaño mediano. En el campo, viven en bandadas grandes y bulliciosas. Como mascotas, parecen disfrutar de la compañía de la gente y de otros pericos. Los pericos son cariñosos y necesitan que se les preste atención y se les hable. Si un perico hace unos sonidos parecidos a *ac-ac*, significa que está contento, pero un sonido como *fsuip* es una señal de miedo o angustia.

Las cotorras son curiosas, juguetonas y cariñosas.

Los pericos
pueden
aprender
a hablar.

¿VERDADERO
o
FALSO?

¡VERDADERO!

A los pericos puedes enseñarles a hablar y a contestar preguntas.

La mayoría de los pericos puede aprender a decir unas cuantas palabras, pero parece que los machos aprenden más rápidamente que las hembras. Si quieres enseñarle a hablar a un perico, debes empezar cuando es muy joven.

El vocabulario récord de un perico es de más de 1.700 palabras.

¿VERDADERO o FALSO?

Todos los canarios son amarillos.

¡FALSO!

Los canarios también pueden ser blancos, anaranjados, marrones, verde oscuro, grises, rojos o de varios colores. Hay varias clases o especies de canarios. Todos los canarios machos cantan. Sus nombres provienen del sonido de su canto. Los canarios flauta cantan con el pico casi cerrado y su trino se parece al sonido de una flauta. El trino del canario común es menos melodioso. Canta con la cabeza hacia atrás y con el pico bien abierto.

El canario americano combina los trinos del canario flauta con los de canario común.

Los canarios solo comen semillas.

¿VERDADERO o FALSO?

¡FALSO! Los canarios no solo comen semillas.

Las semillas son lo que más les gusta, pero en el campo, los canarios también comen insectos. En casa, pueden comer proteínas de huevo duro picado. A los canarios también les gusta comer brócoli, maíz, camote, lechuga, zanahorias, manzanas, naranjas y plátanos. La comida preparada para canarios suele contener nueces, semillas, verduras y fruta.

Un poco de pimienta de cayena añadido a las semillas oscurece las plumas de los canarios.

Los hámsters tienen cachetes grandes y gordos. ¿VERDADERO o FALSO?

¡FALSO! Por lo general los hámsters no tienen cachetes gordos.

Los hámsters acumulan alimentos en su boca. Dentro de sus cachetes tienen bolsas que se estiran y pueden guardar mucha comida. Cuando están llenas, las bolsas sobresalen a los lados, y la cara de los hámsters parece redonda y regordeta. Después, se van a un lugar seguro para comer, o entierran la comida para más tarde.

Si la mamá hámster está asustada, esconde a sus crías recién nacidas en las bolsas de sus cachetes.

Los hámsters son vegetarianos.

¿VERDADERO o FALSO?

¡FALSO!

Además de alimentos vegetales, los hámsters comen insectos y otras criaturas pequeñas. Comen una cantidad asombrosa de alimentos. Un banquete para un hámster puede incluir granos, manzanas, batatas, zanahorias, maíz y carne cocida. Las galletas para perros también son muy buenas para los hámsters. Mascar o roer galletas para perros les ayuda a reducir el tamaño de sus dientes. De lo contrario, crecerían constantemente.

Nunca le des dulces a un hámster. Sobre todo, nada de chocolate.

A los hámsters les gusta esconderse.

¿VERDADERO o FALSO?

¡VERDADERO!

Los hámsters suelen sentirse seguros en lugares estrechos, angostos y oscuros. En el campo, los hámsters pasan mucho tiempo en los túneles que cavan en el suelo. Ahí se esconden de sus enemigos. Sus lugares preferidos para dormir dentro de una jaula son los tubos o las cajas pequeñas de cartón porque son como túneles. Los hámsters generalmente están despiertos de noche y duermen de día.

Los hámsters que hoy son mascotas descienden de hámsters salvajes capturados en 1930.

La cola del jerbo es más larga que la del hámster.

¿VERDADERO O FALSO?

¡VERDADERO!

Los jerbos son más o menos del mismo tamaño que los hámsters, pero sus colas son mucho más largas. Tienen una cola larga y peluda y patas traseras delgadas. Parecen ratones, pero saltan por todas partes como canguros diminutos. Los jerbos silvestres viven en desiertos secos y arenosos. En cautiverio, les gusta asearse con tierra, no con agua. Eso hace que su piel sea más suave y brillante. Los jerbos cavan, saltan, trepan y mastican como los hámsters.

La cola de los jerbos tiene más o menos la misma longitud de su cuerpo.

A los jerbos no les gusta que los agarren.

¿VERDADERO o FALSO?

¡FALSO! Los jerbos son animales muy amistosos.

Al parecer, les agradan las personas. Son muy mansos. Cuando lo sacas de su jaula, el jerbo suele quedarse quieto en tu mano y te deja acariciar su piel. Quizás lo oigas chillar. O puedes sentir que está ronroneando, aunque no lo oigas. Pronto empezará a trepar por todo tu cuerpo.

A veces, los jerbos no se llevan bien con otros jerbos en la misma jaula.

Los cobayos no son de la misma familia de los hámsters y los jerbos.

¿VERDADERO O FALSO?

¡FALSO! Los cobayos son primos de los hámsters y de los jerbos.

Al igual que ellos, comen sobre todo plantas. Su dieta incluye semillas y algunos granos como el maíz y el trigo. Muchos alimentan a sus cobayos con heno, cabezas de zanahoria, pedazos de manzana y comida para mascotas en bolitas. Algunos comen más de la cuenta, por eso no debes darles mucha comida.

Otro nombre para los cobayos e conejillos de Indias.

A los conejos les gusta que los levanten por las orejas.

¿VERDADERO o FALSO?

¡FALSO! Si los levantas por las orejas, los lastimas.

Debes usar tus dos manos para levantar a tu conejito: una mano para sostenerlo por el pecho y la otra para sostener la parte trasera. A muchos conejos no les gusta que los alcen, por eso hay que tratarlos con cuidado.

Los conejos no pueden caminar ni correr, pero sí pueden saltar.

Todos los peces
de colores son iguales.

¿VERDADERO
o
FALSO?

¡FALSO! Hay peces de colores de muchos tamaños.

Son los peces favoritos como mascotas. Los más pequeños no miden más de 2 pulgadas (5,1 centímetros) de largo. Los más grandes pueden llegar a medir 18 pulgadas (45,7 centímetros) o más de largo. El tamaño y la forma de sus aletas también varían bastante. Aunque muchos de estos peces son dorados, otros son rojos, anaranjados, marrones, negros o blancos. En total hay unas 100 clases de peces de colores domésticos en el mundo.

Los peces de colores pierden su color cuando están en sitios con poca luz.

Índice